Net als Doornroosje

 *Anne Takens*

 *Daniëlle Schothorst*

Maretak

Schelpjesboeken zijn bestemd voor kinderen die net kunnen lezen. De boeken vormen een overgang van het prentenboek naar het leesboek: de illustraties vormen een wezenlijk onderdeel van het verhaal. Auteur en illustrator zien het als een uitdaging om een *Schelpjesboek* tot een stimulerende leeservaring te maken.

© 2001 Educatieve uitgeverij Maretak, Postbus 80, 9400 AB Assen
Tweede druk, 2003
Derde druk, 2005

Tekst: Anne Takens
Illustraties: Daniëlle Schothorst
Vormgeving: Gerard de Groot
ISBN 90 437 0109 2
NUR 140
AVI 3

1 Het kasteel

Floor zit in de auto.
Papa stuurt en mama zingt.
Ze rijden over een dijk.
Langs een wei met koeien.
Langs een paard bij een hek.
En een kip bij een hok.
Ver weg staat een boom.
Zo stil als in een droom.
En achter die boom ...
'Daar is een kasteel!' roept Floor.
Papa rijdt de dijk af.
Hij stopt bij het kasteel.
Het heeft dikke muren
en vier hoge torens.
Floor kijkt omhoog.
Ze ziet een klein raampje.
Zou daar een prins wonen?

Of Doornroosje ...?
Om het kasteel is een gracht
met een ophaalbrug.
Floor danst op de brug.
Hij kraakt een beetje.
Dat komt omdat hij oud is.
Net zo oud als het kasteel.
Ze lopen naar binnen.
Daar is een grote zaal.
Aan de muur hangen schilderijen.
Er staan vogels en bloemen op.
'Wat mooi!' roept mama.
'Prachtig!' zegt papa.
Floor vindt er niets aan.
Ze kijkt om zich heen.
Dan ziet ze iets leuks!
Een kanon uit de oorlog!
Ze rent er naar toe.
Bij het kanon ligt een bal.
Dat is een kogel.

4

Hij is zo dik als een meloen.
Floor wil hem optillen.
Oef! Wat is hij zwaar!
'Dat mag niet!'
Floor schrikt van een stem.
Ze ziet een man met een pet.
Hij kijkt boos en zegt:
'Je mag hier niets pakken!
Je mag alleen maar kijken!'
'Poeh!' roept Floor.
'Wat een duf kasteel is dit!
Je mag hier niks!'

2 Een geheime trap

Floor rent naar haar ouders.
Papa tuurt naar een schilderij.
Er staan gele bloemen op.
'Dit is heel beroemd', zegt mama.
'Kijk er maar goed naar.
Dan kun je er iets over vertellen.
Morgen. Op school.'
'Ik vind er niets aan', zegt Floor.
'Ik teken zelf veel mooier!
Mag ik een ijsje?'
'Straks', zegt papa.
Floor holt weg.
Ze wil iets leuks zien!
Een enge heks!
Of een prins op een paard.
Of een ridder met een zwaard.
Of ... Doornroosje!

Dan ontdekt ze een deur.
Hij ziet er oud uit.
Er hangt een bordje op:
GEEN TOEGANG

Maar dat leest Floor niet.
Ze duwt de kruk omlaag ...
Knierrpp ...
De deur gaat open ...
Floor ziet een trap.
Een geheime trap.
Wat zou er boven zijn?
Het hol van een heks?
Of de kamer van een prins?
Of slaapt Doornroosje daar?
Floor wil het weten!
Ze denkt: ik ga even kijken.
Op haar tenen loopt ze de trap op.
Op de treden ligt zand.
Aan de muur hangt een web
met een spin erin.

Floor houdt zich vast aan een touw.
Dat is de leuning.
Ze klimt en klimt.
De trap draait rondjes.
Het is een wenteltrap.
Floor telt de treden.
Eén ... twee ... drie ...
vier ... vijf ... zes ...
tien ... twintig ... dertig ...
Nog meer!
Ze wordt er dronken van.

9

Er vliegt iets langs haar heen.
Een vleermuis!
Brrr ... wat eng!
Zou ze terug gaan?
Als er nou eens een monster zit?
Boven aan de trap?
Een monster met scherpe tanden?
Nee, dat bestaat niet, denkt Floor.
Vlug klimt ze door.
Er jeukt iets in haar nek.
Het is een spin!
Gauw veegt ze hem weg.
Ze klimt en klimt.
Ze hijgt en puft.
Na een poos houdt de trap op.
In een muur zit een deur.
Hij staat op een kier.
Er schijnt licht naar buiten.

Floor houdt haar adem in.
Haar hart doet bons ... bons ... bons ...
Dan doet ze de deur open ...

3 Lekker slapen

Floor komt in een kamertje.
Een kamertje in de toren.
Onder het raam staat een kruk.
De zon schijnt op een bed.
Een bed met een rood gordijn.
Wie zou daar slapen?
Doornroosje?
Floor trekt het gordijn weg.
Het bed is leeg!
Maar wat is het mooi!
Het kussen is dik en roze.
De deken is van blauw satijn.
Floor duikt op het bed.
Ze host op en neer.
Wat gaat dat fijn!
Het bed lijkt wel een springkussen!
Na een poos wordt ze moe.

Ze gaat lekker liggen.
Het bed is zo zacht als een wolk.
Floor doet haar ogen dicht.
Dan valt ze in slaap.
Net als Doornroosje ...

4 Zoeken

'Waar is Floor?' vraagt papa.
Mama kijkt de zaal rond.
'Ik zie haar niet!' zegt ze bang.
'Kom! We gaan zoeken!'
Ze vraagt aan alle mensen:
'Heeft u Floor soms gezien?
Ze lijkt op Pippi Langkous.
Ze heeft rood haar.
En sproeten op haar neus.'
De mensen zeggen nee.
Ze hebben Floor niet gezien.
Mama trekt een deur open.
Ze komt in een keuken.
Het ruikt er muf.
'Floor! Waar ben je?'
De keuken zegt niets terug.
Papa doet ook een deur open.

Brrr ... een donker hok!
'Floor, zit je hier?'
Er komt geen antwoord.
Papa en mama rennen naar de brug.
Bang kijken ze naar het water.
Er ligt een stille zwaan.
Zijn veren zijn wit als room.
'Floor! Waar ben je!' roept papa.
De zwaan strekt zijn hals en drijft weg.

15

5 Help! Help!

Floor slaapt als Doornroosje.
Ze droomt over de prins.
Hij lijkt op Mark uit haar groep.
Ze krijgt een kus van hem.
En een rode roos.
Ineens klinkt er een knal.
Floor schrikt wakker.
Waar is de prins?
Waar is de droom?
Ze roept: 'Ik ben in slaap gevallen!
Ik moet naar papa en mama!'
Vlug springt ze uit bed.
Gauw naar de deur!
De deur is dicht!
Hij viel in het slot.
Met een harde knal.
Dat deed de wind.

Aan de deur zit geen kruk.
En in het slot zit geen sleutel.
'Wat stom!' roept Floor.
'Hoe kom ik er nou uit?'
Ze steekt haar pink in het gat.
Ze rukt en trekt.
Maar de deur wil niet open!
Floor bonst op de deur.
'Help! Ik wil er uit!'
In haar hoofd zit een stem.
'Eigen schuld, dikke bult!
Had je maar niet
naar boven moeten gaan.
Nu zit je vast.
De hele dag. De hele nacht.
En morgen ook.'

Floor stampt op de vloer.
'Dat wil ik niet!' roept ze.
'Morgen moet ik naar school!
Morgen is Mark jarig.
Hij geeft een feest!
Daar wil ik naar toe!'
Ze schopt tegen de deur.
'Help! Help!'
Niemand hoort haar.
Ze heeft honger en dorst.
Maar in het kamertje is niets.
Zelfs geen druppel water.
Zelfs geen droog korstje brood.
Floor moet huilen.
Maar ze doet het niet.
Ze moet denken.
Goed denken.
Hoe komt ze hier uit?

19

6 De hond

Floor loopt naar het raam.
Het staat open!
Dat heeft de wind gedaan!
Ze klimt op de kruk.
Nu kan ze naar buiten kijken.
Op het gras staat een hond.
Hij doet een plas bij een boom.
Floor roept en schreeuwt.
De hond tilt zijn kop op.
Floor fluit zo hard ze kan:
Fffft! Ffffft!!
De hond kijkt naar boven.
Hij zwaait met zijn staart.
Floor gilt: 'Hond! Slimme hond!
Ik zit hier vast!
Red me! Red me!
Haal je baas! Vlug!'

De hond blaft als een gek.
Dan rent hij weg.
Floor zucht.
Zou de hond echt slim zijn?
Gaat hij haar redden?

De hond rent naar een ijstent.
Die hoort bij het kasteel.
Hij springt tegen zijn baas op.
Zijn baas heet Jop.
'Woef! Waf! Waf!'
'Koest!' roept Jop.
'Waf! Waf! Waf!'
Jop vraagt: 'Wat is er nou?'
De hond rent weg en Jop gaat mee.
Hij denkt: hij heeft vast iets ontdekt.
Het hol van een konijn of van een vos.
Bij de toren staan ze stil.
'Waf! Woef!' blaft de hond.
Hij kijkt omhoog.

Jop doet het ook.
Dan schrikt hij.
Hij ziet een meisje.
Ze staat achter het raam.
Ze gilt: 'Help! Help!'
Jop roept: 'Hoe heet je?'
'Floor!'
'Dan zoeken ze jou!' schreeuwt Jop.
'Al meer dan een uur!'
Floor gilt: 'De deur zit op slot!'
'Ik haal de sleutel!' roept Jop.
'Waf! Woef!' blaft de hond.
Het klinkt vrolijk.

7 Net als Doornroosje

Floor voelt haar hart bonzen.
Ze komt vrij!
Dat weet ze zeker!
Ze legt haar oor tegen de deur.
Dan hoort ze stap ... stap ... stap.
Er komt iemand de trap op!
'We zijn er, Floor!'
Dat is de stem van mama.
'Ik heb de sleutel!'
Dat is de stem van Jop.
'Woef! Woef!' blaft de hond.
Krr ... krr ...
Dat is de sleutel in het slot.
De deur gaat open.
De hond stormt de kamer in.
Hij springt tegen Floor op.
Floor krijgt wel tien kussen.

Van papa en mama.
Dan moet ze huilen.
Gewoon van geluk.
Op papa's rug gaat ze de trap af.
En dan gaan ze ijs eten.
Want het is feest.
De hond krijgt brokken.
Die heeft hij wel verdiend!
Papa en mama gapen.
Ze zijn moe.
Floor is helemaal niet moe.
Want ze sliep heerlijk.
In het zachte bed.
Net als Doornroosje!